U0054032

好想逛文具店

閱亮點

好想逛文具店③

我是動人演說家?!

梁雅怡 著

目録

▶ 別小看鉛筆刨的活力

▶ 別小看鉛筆刨的能力

▶ 別小看把筆刨好的威力

▶ 別小看鉛筆屑的魅力

好想要的 文具圖鑑

姓名：**刨仔**

文具類型：鉛筆刨

代號：牙尖嘴利鉛筆刨

特點：可愛的小魔怪，
能說會道，出口
成文。

檔案編號：《好想逛文具店3：
我是動人演說家？！》

我是動人演說家？！

姓名：**型光**

文具類型：熒光貼

代號：原形畢露熒光貼

特點：自戀的帥哥，很會挑
　　　重點，讓人一見難
　　　忘。

檔案編號：《好想逛文具店2：
　　　　　我成為了全校焦點？！》

姓名：**精明眼**

文具類型：計算機

代號：斤斤計較計算機

特點：凡事追求精密，被誤
　　　會成很小氣。

檔案編號：《好想逛文具店1：
　　　　　我變了數學天才？！》

好想認識 文具星

　　「好想住小鎮」裏的「好想逛文具店」，每逢星期五都很熱鬧，「好想讀小學」的學生都要來看「好想玩大抽獎」。據老闆所說，獎品都是直接由「文具星」送來的，不但包裝精美，而且限定、獨有，聽起來非常吸引。

　　不過，「文具星」到底是一間公司？一個星球？還是另有內情？

我是動人演說家？！

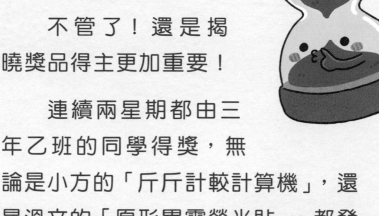

不管了！還是揭曉獎品得主更加重要！

連續兩星期都由三年乙班的同學得獎，無論是小方的「斤斤計較計算機」，還是溫文的「原形畢露熒光貼」，都發揮出傳聞中的神奇力量，得獎者好像被改造過一樣，變得好厲害。

原來在他們之前，曾經有位三年丙班的幸運兒，中獎後也來個大變身，這是真的嗎？

1.遲來的好運

「齊—老—師—早！」

　　星期五的第一節課，「好想讀小學」三年丙班上的是中文堂。

　　「現在派回上次的作文〈公園遊

記〉給大家。」齊寫作老師手上捧着一疊作文簿。「好緊張啊！」同學們十分期待，好想知道自己寫得好不好。

「大家的表現不錯，能仔細地寫出公園的景色和玩樂的情形，老師猶如親歷其境。這個周末請大家做改正，寫得不夠好的同學，要加油啊！」齊老師解下捆着作文簿的橡皮圈，然後逐一讀出學生的名字。

「下一位，**金絲帶**同學。」絲絲從齊老師手上接過作文後，看了一眼便把作文對折，回到座位後直接塞進書包，然後沉默地坐着。

平日的絲絲，總是神采飛揚，每天用簇新的金色絲帶綁成蝴蝶結，束在整齊的馬尾辮子上，看起來精神飽滿。

偏偏在收到作文後，卻變得**若有所思**，更沒有像其他同學一樣，跟別人交換閱讀。她的作文到底寫得怎麼樣？班中根本沒有人知道。

那麼，她最好的朋友會知道嗎？

我是動人演說家？！

絲絲最好的朋友是三年丁班的**藍髮夾**同學，她們在幼稚園認識，後來一起升到「好想讀小學」。雖然被編在不同班別，但每逢小息都相約在操場見面。絲絲常常把金色絲帶解下來，跟小藍練習幾種不同的蝴蝶結綁法，兩人互相逗笑，感情很好。

　　有些女同學想跟她們一起研究髮飾，卻三番四次因為絲絲所說的話，弄得不歡而散。

13

有一次，**向日葵**同學束着在外地買的太陽花髮圈，絲絲明明很欣賞那朵既耀眼又獨特的大黃花，卻衝口而出說：「哇！在哪裏買的？真誇張啊！」

　　向日葵同學覺得絲絲在嘲笑她，氣得瞪大了眼。

　　又有一次，綁着青色絲帶的**葉綠素**同學跟絲絲說：「我們都是絲帶的忠實支持者啊！」

　　絲絲很想表示對方的青色絲帶很美，顏色清新，甚有大自然的感覺，卻竟說成：「青色的絲帶像草，與金色的太不同了！」

我是動人演說家？！

葉綠素同學臉色一沉，認為絲絲在貶低她，**哼**的一聲轉身走了。

絲絲不明白自己犯了什麼錯，她只是想讚美別人，為什麼卻變成觸怒對方？

話說回來，今天三年級有班務活動，小藍和絲絲小息時沒有見面。好不容易等到放學，小藍急急地走到絲絲的課室找她。

「絲絲，我們快到『好想逛文具店』吧！上星期你買了迷你鉛筆刨，不是在收據背面寫上名字嗎？今天是

星期五，有『**好想夊大抽獎**』啊！
我們快去看看，被抽中的話，會得到
有神奇力量的限定版文具呢！」小藍
沒有參加抽獎，卻替絲絲緊張起來。

「這個嘛……我想機會不大了，
今天很**倒楣**。」絲絲跟小藍結伴而
行，嘟着嘴說。

「或者你的好運只是遲到呢？」小
藍笑着說。
「不過，發生
了什麼事？」

好想逛文具店

影印文件

「……中文堂，派了作文……」絲絲吞吞吐吐，欲言又止。

「哦，作文……」小藍只憑這句不完整的說話，已明白絲絲的煩惱。

她們邊談邊走，到達文具店時，剛好是下午三時正。店內的古老大鐘響起「咚咚咚」的報時鐘聲，接着聽到文具店老闆宣佈：「抽獎現在開始！」

「得獎者是……金絲帶小朋友。」老闆的聲線洪亮卻親切，手上拿着一張購物收據，背面寫了得獎者的名字。

我是動人演說家？！

絲絲意想不到，她的運氣真的在放學後才趕到。

　　包裝紙很精美，不過絲絲更關心獎品是什麼。她拆開禮物包，大家都看到了——獎品是一個 紫色的 機械式 鉛筆刨。

　　獎品分量十足（重量十足才對！），絲絲雖然很興奮，但她依然

保持一向的優雅，平靜地讓大家傳閱自己的獎品。

鄰班的**戴眼鏡**同學卻表現得比絲絲更雀躍。他不停催促絲絲找出禮物包裹的文具說明書，因為他想準確地記錄每周的獎品資料，一個字都不想寫錯。

「哦！是**牙尖嘴利鉛筆刨**！」他一邊大聲地唸着，一邊急忙地把這幾個字抄在自己的記事簿上，然後滿意地托一下眼鏡。

想不到「牙尖嘴利鉛筆刨」這個

我是動人演說家？！

名稱，引得大家浮想聯翩，還熱烈地討論起來。

梅子糖同學拿着鉛筆刨，側着頭說：「**牙尖嘴利**？看！這個夾住鉛筆的部分，好像真的特別尖。」

老地方同學咧開嘴巴，露出一排潔白的牙齒，裝模作樣地說：「尖得像吸血鬼的牙齒，說不定會把鉛筆**咬斷**呢！」

何其胖同學眼珠一轉，心生詭計：「如果鉛筆刨有嘴巴就好了，默書考試時給我提示，那就不必擔心不合格……高鼻子，你說是嗎？」

高鼻子同學聳起他那高高的鼻子說：「嘿！我才不需靠神奇力量來取高分呢！而且，鉛筆刨當然要把筆削得又『尖』又『利』吧？這個名字真是多此一舉。」

我是動人演說家？！

聽着各人七嘴八舌地發表意見，絲絲有點不耐煩，她不明白區區一件文具，為什麼能引發出這麼多的話題，還認為這件死物會有嘴巴？太荒誕了！

凡事都很實際的白布鞋同學也在湊熱鬧，可是他從不相信文具有神奇力量的傳聞。他掃興地提問：「這個鉛筆刨又笨又重，能放進筆袋嗎？抽到這樣的獎，真的算幸運？」

絲絲終於忍受不住了，粗魯地把鉛筆刨奪回來，激動地說：「你們真煩！就算我天天帶着它，那又怎樣？」

絲絲的回應，惹來何其胖同學進一步的作弄：「想不到平時**斯文高雅**的絲絲，竟然一秒變魔怪！」

「我⋯⋯你⋯⋯」絲絲氣得七竅生煙，卻不知說些什麼來反擊，只懂緊緊抱住鉛筆刨皺眉。

小藍拉住絲絲的衣袖，輕聲地說：「不必太介意的，他們只是說笑。」然後挽住她的手臂，向回家的路走去，而同學們也逐漸散去了。

2. 我也是魔怪

　　想不到今天的大抽獎居然發生口角風波，大家都有點不愉快，唯獨在絲絲懷抱中的「刨仔」，聽到主人說以後都會帶着自己，喜不自勝——**刨仔**就是代號「牙尖嘴利鉛筆刨」的真名。

　　「我與主人初次見面，她便這麼喜歡我，真幸運！」刨仔甜絲絲地笑着。能找到愛護自己的好主人，實在是所有文具的畢生夢想，刨仔的感動是不難理解的。

回家後，絲絲一手拿着筆袋，一手捧着刨仔，還從三百六十度觀看他一圈。

刨仔陶醉地想：「被主人這樣觀賞，真難為情！」在刨仔的眼中，絲絲對他愛不釋手；事實上，絲絲只是在確認鉛筆刨的體積。

　　「果然比筆袋還要大，唯有直接塞進書包吧！」絲絲很後悔剛才跟同學鬥嘴，以後不得不把鉛筆刨帶回學校了。不過，讓她更懊惱的是，自己竟在同學面前發脾氣：「還被取笑『一秒變魔怪』，氣死我了！」

　　刨仔聽到「魔怪」二字，不禁聯想到自己的外貌：「我一身奪目的紫

　我是動人演說家？！

色，頭上有兩隻小尖角，嘴巴裏滿是尖牙齒，還有翹起來像箭頭的尾巴，我的外表不也像隻魔怪嗎？幸好我有個**圓鼓鼓**的身體，才這麼人見人愛，相信主人也是這麼認為的。」

可是刨仔錯了！在絲絲眼中，鉛筆刨只是鉛筆刨，刨仔的外表並沒有令她聯想起任何東西。

看到絲絲準備做功課，刨仔本已磨拳擦掌，打算展現刨筆實力，想不到卻被移到書桌的較遠處。

絲絲的書桌很大，房間的用品擺設都很精緻，刨仔估計她的家境不錯。的確，絲絲從來想要什麼文具，父母都毫不吝嗇地買給她。不過「牙尖嘴利鉛筆刨」是憑運氣得來的，當然與別不同。

「還是等爸媽看過後，我才開始用吧！」絲絲很想跟父母分享這件開心事。一想到父母今晚會提早回家，她充滿期待，馬上收拾心情開始做功課。

她首先拿出令她最頭痛的作文改正來。

〈公園遊記〉

　　上星期日，我跟爸爸媽媽到附近的公園玩。那裏很平凡，有鞦韆，有滑梯，也有花草樹木和小鳥，我們逛了一會兒後便回家去。

老師評語：

　　描寫太簡短了，你能把公園的風景寫得更詳細嗎？你在那裏玩過什麼，也可以仔細寫出來呢！

得分： 丙＋

我是動人演說家？！

看着齊老師的評語，絲絲很苦惱，她並不是懶惰才寫得這麼短的——

　　當天，父母帶絲絲到附近的公園玩，可是剛到達，父母便接到公司的急電，馬上要回辦公室去。結果，絲絲只看了公園一眼便要走。她只記得那裏有鞦韆、滑梯、花草和小鳥，這真是她經歷過的公園遊記啊！

　　「或者這個周末能跟爸媽再到公園去，到時看看可補寫什麼吧！」有了這樣的盼望，絲絲決定改變主意，先做其他作業。

沒多久之後，鉛筆寫鈍了。她從筆袋拿出一個迷你鉛筆刨，打算刨筆。

這個迷你鉛筆刨大有來頭，那是絲絲第一件親自買回來的文具。

絲絲的父母早在開學前，已為她準備好整年要用的文具，可是幾星期前鉛筆刨不見了，父母一直都沒空替她補買。鉛筆是小學生最常用的文具，沒有鉛筆刨用，實在太不方便了，

我是動人演說家？！

於是爸爸把錢交給絲絲，着她自己去買。就這樣，絲絲才第一次到「好想逛文具店」買東西。

絲絲對文具店的位置並不陌生，因為學校和文具店都離家很近，但畢竟是第一次進店，她叫了小藍陪她一起去。

絲絲平時所用的文具都很精美，但店內五花八門的貨品，還是讓她眼界大開。

「嘩！原來有這麼多款式的呀？」絲絲驚歎地說。

小藍淡淡然地回答：「對呀！所以就算沒東西要買，我也會來逛逛，看看新事物。」

　　她們在擺放鉛筆刨的角落徘徊，突然聽到文具店老闆的聲音，絲絲好奇地看過去。

　　「別焦急，慢慢找。」老闆的聲線低沉，聽起來令人很安心。

　　「嗚嗚……明明放在這裏的，難道丟了？」一位小男孩不安地翻查衣服上所有口袋。

我是動人演說家？！

「哦！他似乎不夠錢買東西呢！」小藍一看就猜到發生了什麼事。

「什麼？不夠錢？會這樣的嗎？」絲絲驚訝地問。

「當然會！那次我幫媽媽到雜貨店買白糖，錢帶不夠，白走一趟呢！」小藍輕描淡寫地說。

絲絲意想不到，小藍竟然經歷過這樣的事情，難怪上次她那篇〈難忘的購物經驗〉，能夠寫得那麼逼真，還被老師

選為佳作，貼在禮堂的佈告版公開展示呢！

　　絲絲被小男孩的事吸引住，目光一直停留在收銀處那邊。她很想知道事情的發展，於是隨手拿起一個迷你鉛筆刨，匆匆走到小男孩的後面假裝排隊。

　　老闆把櫃檯上的橡皮擦遞給小男孩，慈祥地說：「找不到就由它吧，我收下這些錢就可以了。」那果然是一宗「不夠錢買東西」事件，絲絲不得不佩服小藍的神機妙算。

小男孩用手抹掉眼角的淚水，連番道謝才離開。

　　手上拿着迷你鉛筆刨和一張五百元鈔票的絲絲，視線跟隨小男孩的背影飄到店外去，直到老闆跟她說話，她才回過神來。

　　「小朋友，之前沒見過你，你是第一次來？」原來老闆不但充滿愛心，還心思細密，連小顧客的樣子都記住了。

絲絲慌忙地把錢遞給老闆。五百元實在太多了，老闆小心翼翼地把一大堆零錢找給絲絲，熱情地提示說：「請在收據背面寫上姓名，下星期五親自來參加『好想玩大抽獎』吧！」

　　這個迷你鉛筆刨是絲絲親自挑選的，她應該十分滿意吧？

3. 太匪夷所思了！

　　沒想到，絲絲對迷你鉛筆刨甚為不滿，原來它的刀片有點鬆脫，削筆時搖擺不定，不太順暢，筆頭被削得歪歪斜斜，字體寫起來也怪怪的。

　　絲絲怪責自己當時被小男孩的事分了心，亂挑了一個壞的貨品。她一直想問父母怎麼辦才好，可是連續幾天都見不到他們，又不敢自己作主買新的，只好繼續忍受。

遇到煩惱又好，遇上開心事也好，父母都沒空聽她說。絲絲想到這裏，不禁生氣起來，還把怒氣發洩在迷你鉛筆刨身上。

　　「鉛筆都刨不好，作文當然寫不好，都是它的錯！」她大發脾氣，居然毫不眷戀地把迷你鉛筆刨丟進垃圾桶！

　　一直在書桌上靜待着的刨仔，看到絲絲突然發怒，嚇了一跳。

　　「她剛才明明很平靜的，怎麼突然變得這麼可怕？」刨仔意想不到絲絲會這樣傷害文具。

可惜他身處書桌的角落，看不到迷仔鉛筆刨被扔到哪裏去，又不能在絲絲面前走動，只好豎起耳朵探聽情況。

　　刨仔聽到微弱的嗚咽聲，估計迷你鉛筆刨被猛力的撞擊弄痛了。

　　「真可憐！要快點去看看他。」刨仔緊張起來。可是絲絲依然坐在書桌前一動也不動。

「絲絲，吃飯了！」飯廳傳來家務姨姨的呼喚，絲絲終於離開書房。

迷你鉛筆刨有救了！

刨仔慌忙地走到書桌邊緣俯瞰下去，壓低聲音呼叫：

「哈囉朋友！你還好嗎？」

在垃圾桶內的迷你鉛筆刨聽見了，撥開擋住視線的髒紙巾，心有餘悸地抬頭：「呼！幸好有幾團廢紙球墊在桶底，我才沒有四肢解體呢！」

刨仔知道對方沒有大礙，才安心下來。

迷你鉛筆刨拚命地爬出垃圾桶，向刨仔展示身上那顆快要鬆脫的小螺絲。刨仔很想幫忙，可是桌子太高了，沒法跳下去。

刨仔請桌上的鉛筆幫忙，在便條紙上寫了幾個字，再把便條紙飄下去，並吩咐說：「快走，到那裏求救去！」

　　湧着眼淚的迷你鉛筆刨視線模糊，只隱約看到紙上歪歪斜斜地寫着「文具星次貨總部」幾個字，還來不及詢問詳情，便拖着便條紙逃走了。

　　刨仔匆匆回到書桌的角落。他必須小心查看所處的位置，絕不能讓絲絲發現自己曾經離開原位。不久後，絲絲一臉無奈地回到書房，原來爸媽

不但沒有提早回家，這個周末還要出差，根本不可能再到公園去玩。即是說，她只能憑空完成作文改正了。

「胡亂加幾個形容詞算了！」絲絲決定草草了事，正想提筆書寫，卻發現鉛筆還未刨好，才醒覺自己一時衝動扔掉了迷你鉛筆刨。

她探頭看看垃圾桶，並沒發現迷你鉛筆刨。沒法子，絲絲現在唯一的選擇，就是拿獎品來用。

就這樣，「牙尖嘴利鉛筆刨」正式投入服務了。

絲絲從禮物袋拿出說明書，上面除了文具的名稱外，還有一則注意事項：

「越削越鈍，最好三思。」

　　「越削越鈍？不會吧？」雖然她從沒擁有過這種機械式鉛筆刨，但在學校用過，懂得如何操作，更知道鉛筆肯定是越削越尖的。她懷疑那個「鈍」字印錯了，應該是同屬金字旁的「銳」字才對。

　　可是，什麼是「三思」呢？她打量着鉛筆刨，卻毫無頭緒。

「別管了，還是快點把鉛筆削尖就是了。」絲絲認為只要知道怎樣用，不必理會說明書寫了什麼。

絲絲掐着刨仔的兩隻「角」，它的「嘴巴」自動張開，把鉛筆鑽進去，尖尖的「牙齒」咬住筆桿，再轉動另一端的「尾巴」，磨呀磨、吞呀吞，細細碎碎的筆屑逐漸跌進「肚子」裏——絲絲彷似在餵小魔怪吃鉛筆呢！

只消幾下功夫，筆鋒變尖了。絲絲相信只要鉛筆削得好，以後寫作文便不會差了！

「好！再多刨幾下……」
怎知，鉛筆居然真的越削越鈍！太匪夷所思了。

　　絲絲擔心再刨下去，鉛筆變得太短，只好用這個笨鈍的筆頭，草草改正。

我是動人演說家？！

4. 目中無人的生活

星期一早上，絲絲在校門遇見白布鞋同學，他一臉認真地指着絲絲的書包問：「你真的把它帶回來，不重嗎？」

「它？」絲絲低頭一看，噢！原來書包隆起了一團，露出了機械式鉛筆刨的形狀。絲絲懊惱地用雙手掩着書包，把身子扭向另一端。

「是那個『牙尖嘴利鉛筆刨』嗎？」老地方同學問：「它的尖牙有沒有把

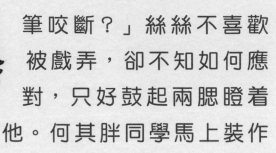

筆咬斷？」絲絲不喜歡被戲弄，卻不知如何應對，只好鼓起兩腮瞪着他。何其胖同學馬上裝作害怕，大叫：「哎喲，差點忘了絲絲會一秒變魔怪，我們快逃吧！」

絲絲氣得很想追打他們，剛好小藍來到，絲絲才平靜下來。小藍挽着絲絲的手，問：「那個鉛筆刨好用嗎？」絲絲嘟着嘴說：「別提了，它怪怪的。」小藍說：「可能限定版文具都比較與眾不同吧？」絲絲說：「與眾不同？說它與『正常』不同才對！它呀，竟越削越鈍呢！」

我是動人演說家？！

小藍聽到絲絲的描述，興奮地說：「噢！絲絲！看來那份獎品真的發揮了神奇力量，它把你的想像力提升了！連『越削越鈍』這種趣怪事也想出來了！」儘管絲絲再三說明這是**事實**，可是小藍依然滿心歡喜地對她點頭微笑，看來小藍才是想像力最好的學生。

　　這天，在三年丙班的中文課上，齊寫作老師請大家分享一次在特殊天氣下的經歷。同學們對這個題目很感興趣，爭着回答。

絲絲聽着同學們的分享，津津有味，卻說不出自己的經歷。

　　這也難怪，絲絲的父母總是忙着工作，認為只要把絲絲留在家，享受着全天候恆溫空調，就是最安全的方案。冬天不會冷，夏天不覺熱，雨天不潮濕，颱風來時，更加不會外出。絲絲對四季的變化並沒有太大感覺，更加不會有什麼特別經歷。

　　絲絲在生活中遇過的事太少了，要記敘或描寫時，都寫得非常簡略。她最怕老師要她「詳加說明」和

「**談談感受**」，當腦中一片空白時，又怎可能加上什麼內容呢？

在超級市場裏玩捉迷藏？

捧起八公斤的米袋？

用樹枝在沙地上寫字？

在公園拾石頭？

跟弟妹爭玩具？……

同學們在作文中寫過的情節，她全都沒試過。

在書包裏的刨仔，聽到大家踴躍發表，也想起曾在「**文具星**」遇上刮

大風，眼看書籤、貼紙、A4白紙統統被吹至半空，盤旋了幾圈，他深深感到自己穩重的身軀很有安全感。

這麼有趣的題目，絲絲竟也啞口無言，刨仔真想衝上前代她發表，可惜他不可能這樣做。

接着，齊寫作老師跟大家溫習語文知識。他把一堆成語字卡貼在黑板上，讓同學們選一個能用來形容自己的成語，然後造句。

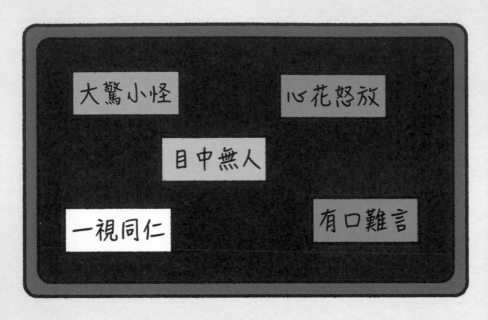

大驚小怪　　心花怒放

目中無人

一視同仁　　有口難言

　　絲絲苦惱地摘下「目中無人」的
字卡，回到座位後，口中唸唸有辭：
「爸媽常常不在家，家務姨姨也不
會陪我玩，我的生活真是目中無人
啊！」

我是動人演說家？！

刨仔聽到絲絲打算這樣寫，嚇了一跳！難道她誤解了「目中無人」是指「眼前沒有人」？

　　刨仔雖然有嘴巴，卻不能直接開口糾正絲絲。他看着黑板上的「**有口難言**」字卡，真希望把它取下來形容自己！「怎麼辦？」刨仔焦急極了，很擔心絲絲會被同學取笑。

　　絲絲正打算下筆，卻發現鉛筆太鈍。由於上次刨仔把鉛筆越削越鈍，害她不能好好寫字，絲絲不想重蹈覆轍，決定這次要快速刨好，盡快拔出鉛筆。

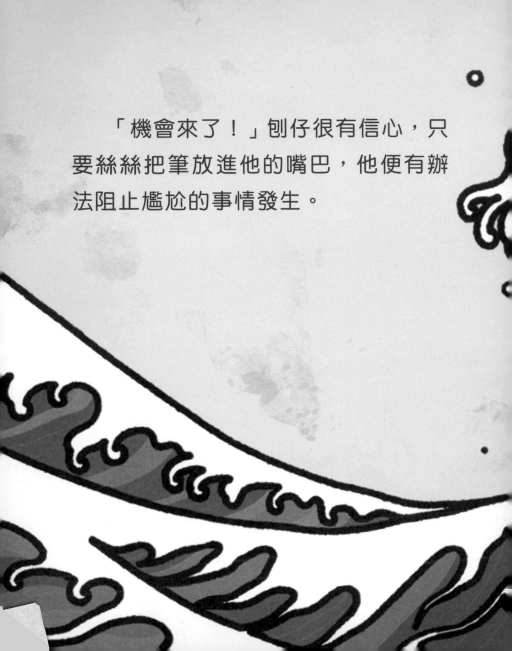

「機會來了！」刨仔很有信心，只要絲絲把筆放進他的嘴巴，他便有辦法阻止尷尬的事情發生。

「怎麼卡住了？」絲絲轉動了把手兩下，卻弄來弄去都無法把鉛筆拔出來。

　　原來刨仔故意用力咬住鉛筆不放，場面雖然有點暴力，但總算能拖延時間。結果下課鐘聲響了，絲絲還在跟刨仔糾纏，一個字也沒寫。

　　齊老師走到絲絲的座位前，說：「我剛才看過了你的作文改正，還是不太妥當，你在放學前把未寫好的造句和作文重改一併交來，才回家去吧！」

絲絲接過作文簿，沮喪地嘆了口氣。齊老師走後，絲絲站起來**怒視**那個頑皮的鉛筆刨，準備用全力把鉛筆拔出來。

刨仔成功阻止了絲絲誤用成語，不但鬆一口氣，還鬆開了牙關，絲絲卻不知道，結果用力過度，連人帶筆倒退了幾步，差點滾到地上去。

「噢 ⋯⋯！」看到絲絲這麼狼狽，刨仔張着O形的嘴巴，感到非常抱歉。

5.吐出利劍的嘴巴

「放學前要做完？怎麼可能！」

絲絲在小息時帶着功課簿，跟小藍訴苦。「不要緊，你現在寫吧！」小藍把絲絲帶到操場旁的桌椅處，讓她坐下來寫作。

其實，齊老師要求絲絲重改，並非字體寫得不好看，而是絲絲在作文

我是動人演說家？！

上重複加上同一個形容詞，老師覺得她敷衍了事，才要她重做。

〈到公園遊玩記〉（改正）

　　上星期日，我跟爸爸媽媽到附近美麗的公園玩。那裏很~~平凡~~美麗，有美麗的鞦韆，有美麗的滑梯，也有美麗的花草樹木和小鳥，我們逛了一會兒後便回家去。

「把『美麗的』改為『漂亮的』或『好看的』，會不會好一點？」絲絲努力地思考，不停晃動着手上的鉛筆。這時候，車厘子同學走過來說：「看我的新髮夾！夾在這裏好看嗎？」絲絲忙着寫字，看了一眼便回答：「不好看。」

「噢，你太直接了，她會生氣的。」小藍把頭靠近絲絲，低聲地提示說。

絲絲理直氣壯地說：「直接不好嗎？說話不就是想別人明白嗎？」小

我是動人演說家？！

藍沒有回答，她把車厘子同學的髮夾移到耳朵旁，然後說：「這樣好看。」

車厘子同學向小藍微笑，卻對絲絲做鬼臉，不滿地說：「全世界只有你才好看！哼！真是目中無人，驕傲得很！」

絲絲愕然地問小藍：「原來……『目中無人』是這個意思？」小藍一臉迷惘，她根本不知道絲絲曾經誤解了這個成語。

「唉！看來我的口才真的太差了，說什麼都惹人生氣⋯⋯」絲絲看到小藍跟同學相處，大家總是心情**愉快**，自己卻常常開罪別人，不禁羨慕起來。「不如你教教我？」

「口才？我也沒有很好啦！」小藍猛力地揮動雙手。「我只是⋯⋯會想想別人才說話。」

「嘴巴是自己的，說話竟然要先想想別人？」絲絲完全不明白小藍的意思。絲絲不明白，是因為平日在家中，她想到什麼都會直接說出來，無

我是動人演說家？！

論用什麼字眼、語氣，家務姨姨都會接受。不過，在學校裏同學們當然不會處處讓着她呢！

說着說着，小息完結了，絲絲驚覺：「糟了！習作一點進展也沒有，今天真的要留堂了！」

放學後，絲絲留在課室，一邊刨鉛筆，一邊自言自語：「想不到剛才因為鉛筆刨失靈，卡住了鉛筆，我才沒有亂用成語造句。」

刨仔聽到了，認為自己立了功，非常自豪，挺起胸膛接受主人的讚

美。他想像自己就如英勇抗戰的士兵，保衛了國民的安全，在表揚禮上接受勳章一樣**光榮**。

當他還沉醉在想像之中，絲絲已做完練習。刨仔看不到造句寫成怎樣，卻看到作文果然加長了。

〈到公園遊玩記〉(重改)

　　上星期日，我跟爸爸媽媽到附近那個山明水秀、鳥語花香的公園遊玩，那裏有些雍容華貴的花，有些堅強不屈的草，還有些姿態萬千的小鳥，我盪了高聳入雲的鞦韆，也玩了深不可測的滑梯，然後才回家去。

　　這一次，絲絲嘗試添加成語來補充內容。她參考了貼在壁報板的同學佳作，發現很多的 優秀 作文都會用

上成語，加上今天中文課正是學習成語，她肯定越多成語，越能**取悅**齊寫作老師。

絲絲舉起作文，滿意地點頭，刨仔卻看得傻了眼。他怪責自己失職，沒有咬緊絲絲的鉛筆，讓她又再出錯。（你認為絲絲這樣寫，有什麼不好？齊老師的意見在83頁，可先別偷看啊！）

絲絲帶着習作跑到教員室，齊寫作老師正在忙別的事情，看了一眼便點頭收下。絲絲鬆一口氣，輕聲地說：「呼！終於可以放學了！」

我是動人演說家？！

第二天一早，絲絲經過禮堂，看到一群三年級同學圍在佈告板前議論紛紛。原來齊寫作老師正在張貼海報。

　　「演說隊？要做些什麼的？」梅子糖同學疑惑地問。

　　「我想是要在台上演講吧？」高鼻子同學猜想着。

　　「你那麼愛說話，參加吧！」白布鞋同學跟何其胖同學打了個眼色，何其胖同學則哈哈大笑：「如果聚會時老師會提供茶點，我也會考慮的。」

好想讀小學演說隊
隊員招募

你！想寫作更優秀？
你！想用語更準確？
你！想辭鋒更銳利？

來來來，
快聯絡齊寫作老師，
報名加入吧！

忍不住笑起來的齊老師貼好海報後，轉身鼓勵大家：「參加演說隊，既能學說話，又能學寫作，一舉兩得。」

站在人群後方的絲絲不禁害怕起來，心想：「那豈不是要寫很多作文？我才不會參加⋯⋯」絲絲正想動身離開，竟隱約聽到自己的名字。原來是車厘子同學在談論她：「海報說要**辭鋒銳利**的人嘛，金絲帶同學真是最適當的人選，她不需多訓練都已刺得別人多痛啊！」

「同意啊！她的嘴巴簡直能吐出利劍似的！」向日葵同學摸摸頭上的太陽花，確保它沒有鬆脫。

「你們也受過絲絲的語言攻擊？」葉綠素同學還以為自己是唯一的受害者。

聽到她們的話，絲絲很委屈，她很想大叫「冤枉」。這一刻她真希望自己的口才馬上變好，能為自己辯護。

「口才？莫非我要……」她似乎要下一個連自己也會大吃一驚的決定……

6.「筆」「刨」大戰

　　「什麼？你加入了演說隊？真意想不到啊！」小藍驚訝地說。

　　「嗯，今天小息便會舉行第一次集會，所以……」絲絲不好意思地說。

　　「所以你不能來教我綁蝴蝶結了，是吧？」小藍總是這麼體貼，不但猜中了絲絲的意思，還替她打氣：「沒問題啦，你要加油啊！」

　　加入演說隊的事，不但讓小藍感

到意外，連絲絲本人也不明白，報名
的勇氣從何而來。

絲絲記得那天只是為了取回習
作，才來到教員室。

「金絲帶同學，你很
努力地在作文裏加上學過
的成語，內容像是豐富
了，可是描述卻變得誇
張，你真的到過這樣的
公園？」齊老師耐心地
說出他的意見。

「不過，造句卻寫得不錯，這個
句子……是你的心底話嗎？」

成語造句

目中無人：我從來沒有瞧不起大家，請不要覺得我目中無人啊！

絲絲接過作業，心想：「老師真厲害，居然能從習作中看出哪些是真話，哪些是假話。難道只要寫出真心話，便是好文章？」絲絲本以為自己想通了寫作的祕技，可是她馬上又推翻這個想法。

「不！我最初在作文裏寫的不就是真心話嗎？平時跟同學們說的也

全是真心話，卻為什麼還是處處出錯？」她真希望自己變得**能言善辯**，那便不用再被女同學誤會，還能擊退作弄她的男同學。

想到這裏，絲絲心中突然湧出一股力量，嘴巴不受控制地說：

「老師，我想訓練口才，我想參加演說隊！」

她才剛把話說完，卻馬上用手掩住嘴巴，心想：「我傻了嗎？老師怎會讓作文寫得那麼差的學生加入演說隊？」

　　怎料，齊老師竟欣喜地從抽屜取出一盒新的鉛筆來，遞給絲絲說：「好呀！演說隊歡迎你！」

　　原來那盒鉛筆，是演說隊的迎新禮物。齊老師說：「集會時記得自備鉛筆刨啊！」

我是動人演說家？！

在書包裏的刨仔，聽到齊老師的吩咐，十分興奮。身為「文具服務生」，不但能協助主人做日常的功課，連課外活動也可以參與，真威風！

　　這一刻的刨仔，與絲絲一樣，為加入了演說隊而充滿鬥志！

　　「既然絲絲不喜歡被人誤會，只要阻止她亂寫就行了！」刨仔還記得上次咬住絲絲的鉛筆，不讓她誤用成語，是非常成功的招數。

我是動人演說家？！

不過這道絕招也帶來了反效果——絲絲的寫作靈感本來已不夠多，還要經常跟鉛筆刨苦苦糾纏，有時連一個句子都沒寫好，聚會便完結了。

「怎麼可能這麼倒楣？接連兩個鉛筆刨都是壞的！」絲絲開始懷疑刨仔失靈了。「每逢寫作文，鉛筆刨特別容易失常，難道上天也不想我把作文寫好？」

「抗議！這絕對不是個好辦法！」一支鉛筆怒氣沖沖地對刨仔說。「你阻止主人下筆，就等如阻攔我們領功，真不公平！」

原來是絲絲的「寫稿專用鉛筆」在投訴。所謂「專用」，是因為這是齊老師送的，絲絲只會用來寫演說稿，才使他們為「專用」身分格外自豪。

「你常常用口咬住我們，簡直就是『出口傷人』，太暴力、太不文明了！」寫稿專用鉛筆只求辭鋒銳利，從來不管成語用得對不對。

我是動人演說家？！

曾經被刨仔咬過的鉛筆們，早已有所不滿，可是面對「牙尖嘴利」的刨仔，誰都不敢吭聲。現在「寫稿專用鉛筆」起來反抗，所有鉛筆都出來吶喊助威。

寫稿專用鉛筆得到同伴們的支持，振振有辭地說：「主人參加演說隊，為的就是訓練口才，用說話來保護自己。你不讓她表達，她又怎能學曉反駁別人的招數呢？」

刨仔沒有龐大的打氣隊伍，仍能自信地回應：「訓練口才是為了說最適當的話，不想清楚便亂說，才是真正的**出口傷人**啊！」

雙方雄辯滔滔，鬧得臉紅耳赤，最終鉛筆們決定不再跟刨仔合作，誓要逃離刨仔的魔爪。（是魔口才對！）

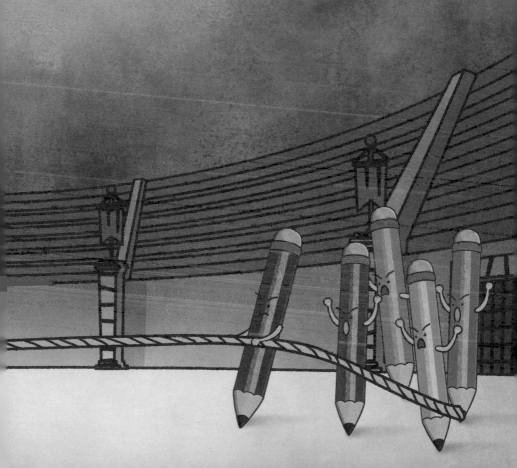

往後幾天，絲絲刨筆時只輕輕攪動刨仔兩下，鉛筆便自動退出來，筆鋒卻已是**尖**銳無比的。

　　這些不受控制的鉛筆，像穿了釘鞋的跑手，把功課簿當跑道，或一股勁地在原稿紙上瘋狂地奔馳。那管尖銳的筆鋒把紙都刮穿了，他們也要盡情地寫出一句又一句辭鋒銳利的句子。

　　絲絲覺得用這些尖銳的鉛筆來做習作，比以前順利得多，稍稍一看題目便能輕鬆地寫出文句。鉛筆們以為

自己立了大功，**沾沾自喜**。怎知，這幾天所做的習作錯漏百出，統統需要改正。還有那些演講辭，齊老師說用詞不準確，語氣又驕傲，還賣弄文筆，一點都不動人，全部發回重寫。

「原來尖銳的筆鋒並不一定好⋯⋯」鉛筆們承認失敗了。

看到鉛筆們垂頭喪氣，刨仔並沒有落井下石，反而友善地說：「我強行咬住你們，的確太粗魯，我應該換個方式⋯⋯不如我們和好吧？」

「對！我們要合作！你有更好的方法嗎？」鉛筆們與刨仔**握手言和**。

「我是文具星派來的文具服務生，當然還有別的本領！日後大家只需放慢步伐，主人便會得益了！」刨仔滿有信心地笑着說。

「放慢步伐？」鉛筆們摸不着頭腦，但也只好點頭答應。

我是動人演說家？！

7. 絲絲入扣的演講

絲絲費勁地完成所有改正後，匆匆趕往演說隊集會。到了課室門外，她突然煞停腳步，猶疑着：「寫講稿比做功課更難，我是否應該放棄？」

可是，剛到達的隊員沒理會堵住門口的絲絲，一擁而上，把她擠進課室去了。

齊老師在黑板寫上題目，然後踱步巡視。

練習題四：一個寂寞的晚上

　　隊員們很快便揮筆寫作。絲絲知道「寂寞」就是孤獨、苦悶、孤單的同義詞，卻挖空心思仍下不了筆。她晃着鉛筆四處張望，看到大家振筆直書，只好假裝刨鉛筆，而且動作非～常～非～常～慢。這樣她便可以一直垂下頭了。

　　齊老師看懂了絲絲的反應，刻意揚聲說：「大家不必急着寫完，正所

我是動人演說家？！

謂『三思而後行』，費煞思量後才下筆，效果一定更好。」

絲絲不太明白老師的話，但「三思」這個字眼有點熟——對了！在鉛筆刨的說明書上看過。她拿起鉛筆刨來看，在頂部真的發現一個從沒見過的符號，說起來像個「思」字。可是，說明書上寫着「最好三思」，那麼，還有兩個「思」字在哪裏？

糟糕！齊老師過來了！絲絲緊張地把頭垂得更低，額頭靠在鉛筆刨的頂端。她的眼前除了一片紫色，就只有那個朦朧的「思」字。

突然能與主人「臉貼臉」，真叫刨仔神魂顛倒。他輕輕地咬着鉛筆，尾巴隨着絲絲的手慢慢地擺動，他倆真像在跳慢舞呢！

在這種緩慢的節奏下，絲絲放鬆下來，腦中浮現出似曾相識的畫面：

「啊！那不是我的睡床嗎？還有床上的布娃娃！房裏只有我自己，很寧靜，不！很冷清！我在跟布娃娃說學校的事，可惜布娃娃沒有反應……」

我是動人演說家？！

絲絲竟然回想起某個寂寞的晚上所發生的事。

　　趁齊老師走遠了，絲絲挺直腰板坐好，竟看到筆刨上的那個「思」字，化開變成了「再思」。她揉揉眼睛，心想：「一定是剛才跟鉛筆刨的距離太近，眼花繚亂了。」她用力地合上眼睛，卻在漆黑中看到更多的畫面：

「我坐在床上哭起來，淚水湧滿雙眼，還滴到睡衣上……」

絲絲憶起那種孤單的心情，畫面仔細得好像重演了一次似的。

　　絲絲驚訝地睜開眼睛，筆刨上的「再思」圖象竟變成了「三思」！這一刻，絲絲**思潮泉湧**，她從筆刨拔出鉛筆——筆鋒果然「越削越鈍」，可是絲絲什麼都不管了，她只想寫作！對！把剛才想到的畫面統統記錄下來就是了。

　　不消十分鐘，她便把這篇〈一個寂寞的晚上〉寫好了。

　　這是絲絲第一次在集會時間內完成寫作，齊老師特地讓她在隊員面前

102　我是動人演說家？！

朗讀出來。大家聽着每字每句，猶如親歷其境，還不禁傷感起來，覺得文章內的「我」，真的很孤單、很可憐啊！

刨仔和鉛筆聽到絲絲的朗讀，心中也充滿淚水，可是文具不能無緣無故湧出水滴，他們只能將眼淚化成淚水形的筆屑，盛載在刨仔的肚子裏。

隊員聽完絲絲的朗讀，熱烈地拍手讚好。絲絲第一次從寫作中獲得成功感，滿心歡喜地想：「幸好我沒有放棄，原來我也可以做得到！」

　　自此，絲絲便以慢動作刨筆，直到「思」、「再思」和「三思」在刨仔頭上逐一浮現，她才開始下筆。就這樣，絲絲回想起很多日常片段，全部都是寫作的好材料。

　　「越刨越鈍」的鉛筆，讓絲絲寫出越來越**豐富細緻**的文章。聽着絲絲的朗讀，刨仔把感受化成不同形狀的碎屑，留在肚子裏，還常常自豪

地向鉛筆們展示:「看!這幾片像花瓣的,來自那篇〈漂亮的花園〉;這些心形的,是〈談愛護動物〉的;哈哈笑臉,就是〈班上的趣事〉,這都是我為主人服務的戰利品呢!」

接下來的日子,絲絲越寫越起勁,希望爭取更多演說機會。刨仔和鉛筆雖然非常疲勞,但也毫無怨言。寫得多自然刨得多,當盛載筆屑的兜子溢滿時,刨仔便要「上廁所」。可是絲絲一向依賴家務姨姨收拾書桌,她又怎會留意到刨仔的需要呢?

幾天沒有清空兜子的刨仔，肚子脹鼓鼓的，還開始疼痛起來。他想偷偷爬到垃圾桶「解決」，可是一不留神，被桌上的橡皮擦絆倒，兜子的碎屑洶湧而出。

　　絲絲走進書房，嚇了一跳，急忙地用紙巾包住筆屑，還替刨仔抹了一下，真體貼！

　　這一夜，絲絲要準備下星期在全校周會發表的演說，題目是《如果我是……》。她拿出一支新的「寫稿專用」鉛筆，對準鉛筆刨上的O形小圈，

慢慢地插進去。她突然覺得鉛筆刨好像在吃餅乾條。

「吃餅乾條？對了！我可以這樣寫……」絲絲居然不必等待刨仔身上出現「三思」畫面，也知道如何動筆了。

8.削走說話的稜角

全校周會當天，絲絲笑容滿面地站在講台，手上除了講稿，竟然還有刨仔！

「她還在賭氣嗎？連上台也帶着鉛筆刨？」白布鞋同學驚訝地問。「或者鉛筆刨是她的 護身符 呢？」雖然何其胖同學常常作弄絲絲，但也很佩服她的勇氣。

「大家好，我的演說題目是〈如果我是一個有嘴巴的鉛筆刨〉。」絲絲語氣裏充滿信心。

「如果我是一個有嘴巴的鉛筆刨，我一定不會偏食，無論是小學生常用的HB和2B鉛筆，或是36款色彩的畫筆，我都愛吃。各種筆有不同的營養，紅的就像紅蘿蔔，綠的就是青椒……」

學生們覺得這樣的想像和比喻很有趣，聽得非常入神，還不時傳出笑聲。

「……吃飽了，可別忘記便便啊！定時的排便對健康也很重要，別要忍到最後一刻才上廁，萬一來不及

便糟了……」刨仔瞬間漲紅了臉，想起在書桌上瀉出「便便」的遭遇。

絲絲演說完畢，掌聲響個不停。絲絲帶着講稿和刨仔，向觀眾鞠躬。

「難道鉛筆刨真的有神奇力量，讓她變得伶牙俐齒？」高鼻子同學聽完絲絲的演說，又驚訝，又妒忌。

周會後的小息，幾個女同學走過來跟絲絲打招呼。

「你的演說內容很特別啊！」向日葵同學說。

「還以為你只會批評別人，原來你的說話也可以這麼動聽。」車厘子同學說。

「莫非之前是我們誤會了你？」葉綠素同學說。

絲絲本來想說：「當然是你們搞錯啦！」腦中卻閃出她們皺眉生氣的樣子。絲絲再三思索，說：「我以前一定說了讓大家難受的話，謝謝你們沒有生我的氣啊！」

我是動人演說家？！

聽到絲絲這樣說，同學們都露出了笑容，大夥兒興致勃勃地談個不停。

　　這時候，何其胖同學神色凝重地跑過來，他打開手上的作文簿，大聲質問絲絲：「為什麼你用了鉛筆刨便口才了得，我用了卻只得零雞蛋？」

　　原來何其胖同學寫了一篇〈我的同學〉的作文，用了很多不禮貌的詞語來描述一個他不喜歡的同學，老師罰他重寫。絲絲看到老師在評語欄寫着：「謹慎的語言如棉花般溫柔，衝動的語言卻如利劍般危險。先削走

說話的稜角，內容才有意義。」

「削走稜角？豈不是『越削越鈍』？」絲絲終於明白，說明書上根本沒有印錯字。難道「牙尖嘴利鉛筆刨」削鈍絲絲的鉛筆，也就是為她削走說話中的尖刺？這就是「好想玩大抽獎」獎品的**神奇力量**？

何其胖同學不滿地說：「那天，我明明用你的鉛筆刨削尖了筆，才動筆去寫作文，還以為會得到高分呢！」

「我什麼時候把鉛筆刨借給你了？」絲絲跟何其胖同學不同班，不可能有過這樣的互動。

「我……經過你的課室，看到鉛筆刨在桌子上，所以……借來用了一下。」何其胖同學說出了真相。

「哦！你不問自取，還來投訴？」絲絲本想這樣說，不過她也嘗過重改作文的苦惱，而且鉛筆刨又沒有損壞，還是不要責怪他了。於是她說：「我的鉛筆刨有特定的用法，下次我再教你吧！」何其胖同學聽到絲絲這樣說，慚愧地合上作文簿走開了。

演說成功了，與同學相處也很融洽，這天晚上，絲絲的心情很好。

書房的門突然打開，一盒精美的蛋糕從門縫遞了進來。「是爸爸媽媽？」外面的人推門進來，果然是爸爸！他把絲絲擁在懷裏，就像絲絲當日在文具店把刨仔抱住一樣。

絲絲解開蛋糕盒上的絲帶，裏面果然放着她最愛的紫薯蛋糕。絲絲用小叉子取起一小塊，正想放進嘴裏，卻注意到面前的刨仔。

「怎麼了？老張着嘴，要吃一口嗎？」絲絲自言自語地「問」刨仔，還假裝把蛋糕遞到那個O形小圈前。

雖然不能真的咬下去，但刨仔已心滿意足：「太好了，主人總是惦掛着我，還終於看出我有嘴巴了！」絲絲舔乾淨手上的小叉子，把它豎在刨仔身旁，佻皮地說：「給你加個叉子，哈哈！真像隻小魔怪！」

得到主人
的加冕後，刨
仔的魔怪形象
真的更神似、
更完美了。

文具星無限次供貨總部

9. 次貨不可怕

　　說回迷你鉛筆刨，它拿着刨仔
給他的便條，經過長途跋涉，終於
來到「文具星次貨總部」的位置。
當他抬頭核對門牌時，卻看到招牌
寫着「文具星無限次供貨總部」。

我是動人演說家？！

「是不是這裏呢？」他摸摸身上那快要掉下來的螺絲。「不管了，進去才算。」他四處張望，希望找到維修部門的方向。可是，這裏並沒有什麼指示，他只好向前走，直至看到一幅貼滿相片的牆。

　　其中一張相片吸引了迷你鉛筆刨的注意，那……那不就是刨仔麼？

　　圓鼓鼓的紫色身體，看起來十足小魔怪，如果不是對方曾拯救了自己，迷你鉛筆刨還以為刨仔是壞分子呢！

121

這裏叫「文具星次貨總部」，難道是專門出產不合規格的「**次貨**」文具的地方？「不！刨仔這麼醒目，他怎可能是次一等的劣質品？」迷你鉛筆刨喃喃自語，完全想不通事情的脈絡。

　　「他的確是次貨——不過那是以前的事了！刨仔現在是一個優秀的文具服務生。」一把神秘的聲音突然回應迷你鉛筆刨。迷你鉛筆刨左顧右盼，卻找不到聲音的來源。

　　忽然，在他面前的相片，竟一張張變成了視像會議的影像，一支箱頭筆在熒幕前動起來。

我是動人演說家？！

「沒把你嚇一跳吧？你好，我叫『大頭哈』，是文具星視像會議的主持。」一支笑容燦爛的紅色箱頭筆跟迷你鉛筆刨作自我介紹。

「你⋯⋯你好，我是刨仔介紹來維修的⋯⋯」迷你鉛筆刨的確被嚇得吞吞吐吐。

「哦！你已到達，那太好了！」接著，連刨仔的相片也動起來。「你別怕，當初我來到這裏時，也跟你一樣震驚。」

「你⋯⋯你也曾經來過這裏⋯⋯

125

維修？」迷你鉛筆刨不敢相信，既是大抽獎的禮物，又是文具服務生的刨仔，真的曾經做過「次貨」？

「不止他，還有**他**、**他**和**他**，也曾被人判為次貨。」大頭哈說着，各個熒幕的畫面紛紛亮起來。

「來這裏不是維修，簡直是改造！」刨仔興奮地說。「你知道嗎？我出廠時，被發現零件安裝錯了，會把鉛筆越削越鈍，結果被撿了出來，打算拋棄。如果當初沒有『總部』的改造，我肯定已變成堆填區的一分子了。」

我是動人演說家？！

迷你鉛筆刨碰了碰身上搖搖欲墜的刀片，說：「我也會被維修……不！被改造過來嗎？改造後我還會認得自己嗎？」

　　「放心吧！改造之後，你的本質依然存在。」刨仔拍拍心口說。「看！我到現在仍是越削越鈍的！哈哈！」

　　「這……這還算改造過嗎？」迷你鉛筆刨不明所以。

　　「每件文具的缺陷，正是他們最獨特的地方，當然要保留下來。」大頭哈解釋說。

「不過，這不代表他們沒有用，只要配合特製的說明書，這些錯體都能讓他們化身成限定版文具，成為小學生們心愛的獎品。」

　　「哦！原來大抽獎的獎品都是次貨……」迷你鉛筆刨正把話說完，便看到牆上那一雙雙瞪着他的眼睛。他馬上補充說：「可是，都一樣可愛、有用、精美、獨特、出眾……呢！次貨又有什麼可怕？」迷你鉛筆刨尷尬地一笑，馬上轉身出去接受改造了。

文具星次貨總部改造部門

1. 別小看鉛筆刨的活力

你知道嗎？我們鉛筆刨的祖先原是一把小刀，經過200多年的進化，變身成手動的掌心型、座枱的機械式，還有省力的電動型，越來越易用。雖然現在很多筆都不再需要配合鉛筆刨來用，但只要傳統的鉛筆沒被淘汰，鉛筆刨依然是非常重要的！

★ 刨仔用「鉛筆需要鉛筆刨」和「大家還在用鉛筆」來推斷出「鉛筆刨仍然很重要」的結論，這叫演繹論證。

2. 別小看刨鉛筆的能力

想知道小朋友手部小肌肉發展得好不好？讓他們刨刨鉛筆就知道了！

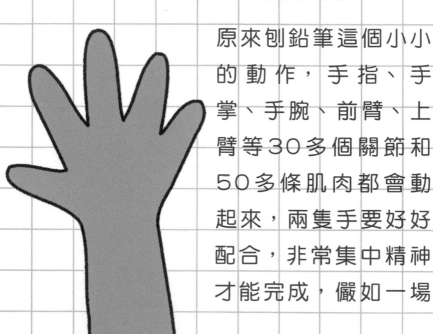

原來刨鉛筆這個小小的動作，手指、手掌、手腕、前臂、上臂等30多個關節和50多條肌肉都會動起來，兩隻手要好好配合，非常集中精神才能完成，儼如一場

大腦小鍛煉
呢！

小朋友一天
刨鉛筆3次，每
次5分鐘，不但能
讓腦筋聰明、雙手靈
巧，還能養成勤勞和愛文具的好習
慣，在生活上變得獨立和負責任，你
說鉛筆刨厲害不厲害？

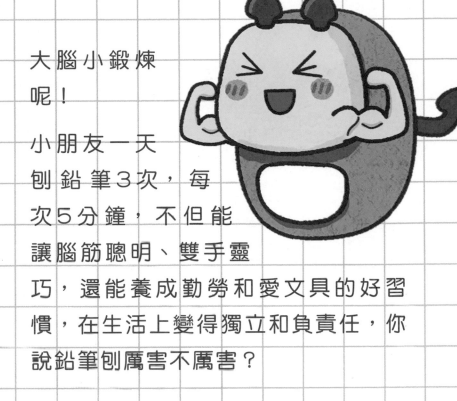

⭐ 刨仔用了很多數據和科學原理，來證明
　刨鉛筆的好處，這叫引用論證。

3.別小看把筆刨好的威力

有一名中國女軍醫叫劉偉，她曾聽過當炮兵指揮的丈夫說：「要炮彈射擊無誤，必需計算精準，而用來畫圖示的鉛筆，必須刨得像針尖般幼細，這才不會出錯。」她認識到鉛筆刨竟是這麼重要，從此便愛上搜集不同款式，還成為了業餘的鉛筆刨收藏家。

她的收藏品來自中外各地，多達1600件，包括木雕、泥塑、塑膠、石膏、動物皮、金屬、橡膠、仿象牙製等，不知道她有空的時候，會不會把它們排列起來，進行「鉛筆刨軍隊」閱兵儀式呢？

◄ ► ►|

★ 刨仔用真實人物的故事，證明刨得尖尖的鉛筆帶來了大大貢獻，值得大家表揚，這叫舉例論證。

4. 別小看鉛筆屑的魅力

刨鉛筆雖然很有益，但大家不應浪費鉛筆。傳統鉛筆的筆桿以木材製作，以一棵樹能製作1000支筆桿來計算的話，單是中國每年生產的鉛筆（240億支），已用了2000萬棵樹！因此有環保人士研發出以黏粉和沙士取替木材，或以天然農業廢料製成的「生態鉛筆」，既能減少砍樹，又能減少碳排放，對鉛筆廠工人的健康也有好處。

細細碎碎的鉛筆屑，雖然沒有回收利用的價值，不過發揮一下創意，用它來製作美術品，讓鉛筆屑在成為垃圾前，再贏得漂亮的一仗吧！

⭐ 刨仔用幾方面的事實，總結出「不應該浪費鉛筆的任何一部分」的想法，這叫歸納論證。

文具星廣告

好想逛文具店③

我是動人演說家?!

作者	梁雅怡
內容總監	曾玉英
責任編輯	何敏慧
書籍設計	Joyce Leung

出版	閱亮點有限公司 Enrich Spot Limited
	九龍觀塘鴻圖道 78 號 17 樓 A 室
發行	天窗出版社有限公司 Enrich Publishing Ltd.
	九龍觀塘鴻圖道 78 號 17 樓 A 室
電話	(852) 2793 5678
傳真	(852) 2793 5030
網址	www.enrichculture.com
電郵	info@enrichculture.com
出版日期	2023 年 6 月初版

定價	港幣 $88　新台幣 $440
國際書號	978-988-76827-7-6
圖書分類	(1) 兒童圖書　(2) 兒童文學